1
Ocras i lár na hOíche

A dhiabhail, ní féidir
Sibéal a dhúiseacht!
Táim caillte leis an ocras.
Dúisigh, a Shibéal,
a leisceoir, dúisigh!

Éiríonn an banphrionsa bocht faoi dheireadh. "Bíonn ocras ort i gcónaí," ar sise. Sin mar atá, a chailín. Téann tusa a chodladh san oíche, ach ní mór domsa ithe.

Agus anois, féach – tá mo bhabhla folamh!

"Táim cinnte gur líon mé é,"
arsa Sibéal.
Cuardaíonn sí an cófra.
Níl faic ann!
Hé! Tá ocras ormsa!

Tugann Mam slabar éigin atá
fágtha tar éis dinnéir dom.
Hé, ní sin atá uaim!
Cá bhfuil mo chuid
bia blasta féin?

Éiríonn Daid.

"Cad tá ar siúl anseo?"

"Tá ocras ar Mháire Treasa,"
arsa Sibéal.

"Agus tá tuirse ormsa,"
ar seisean go feargach.

D'fhéadfainn bás a fháil den ocras
anseo agus ba chuma leo ar fad!
"Gheobhaimid do chuid bhia,"
arsa Sibéal "agus béarfaimid ar
an ngadaí gránna chomh maith."

9

2
Botún i ndiaidh botúin

Téimid ar thóir an ghadaí.
Ansin! Ribe de ghruaig liath!
Sin é! Is é Lúsafar, madra na
gcomharsan, an gadaí!

Botún a haon!
Tá Lúsafar an leisceoir
ina chodladh go sámh.

Meas tú an iad na triúr rógairí
a ghoid mo chuid bia?

13

Beartlaí Bréan, Learaí Lofa
agus Seáinín Sleamhain –
na triúr rógairí.
Ní hiadsan na gadaithe!
Bia ceart cait, an ea? Úúúgh!
B'fhearr leosan éisc lofa agus
sean-cháis.
Botún a dó!

Nílimid ag déanamh aon dul chun cinn. Ach fan! Cad é sin? Thuas in airde? Anois a bhéarfaimid ar an ngadaí lofa!

Botún a trí!

Ní itheann
an t-ulchabhán
bia cait!

17

B'fhéidir gurb iad na lucha
na gadaithe! Cuirfidh mé
geall gurb iadsan atá ann,
na rudaí beaga gránna!

Botún a ceathair!
Ní fheicim oiread agus
blúire bia cait ansin.
Mar sin cé hé an gadaí glic?

3
Cé hé an gadaí?

Ar maidin, ceannaíonn
Mam boscaí bia dom.
Ithim mo shá.
Áááá, sásta faoi dheireadh!

Nuair a thagann an oíche, táimid ag fanacht! Tá béile blasta fágtha sa bhabhla. Fan go bhfeice tú, a ghadaí – táimidne chomh glic leat féin!

Bíonn oiread gleo
ann san oíche!

Cad é sin a chloisim?
Íic íic íic beag ard? Cosa
beaga ag scríobadh?

Na lucha atá ann – le gach sórt
bia seachas mo chuidse!

Úúúóóó!
Cad atá ansin?
LAS AN SOLAS,
a Shibéal!

A dhiabhail!
Daid atá ann!

Eisean an gadaí!
"Tá lucha i ngach áit," ar seisean.
"Ba cheart don chat iad a ithe!"

"Má bhíonn ocras uirthi,
íosfaidh sí iad!"

Mise? Ag ithe lucha beaga gránna?
Tá sé glan as a mheabhair.
Sin é! Nílim chun fanacht anseo!

Níl Mam ná Sibéal sásta le
plean Dhaid ar chor ar bith!
Téann seisean ar ais a chodladh.

Lucha beaga lofa a ithe!
Nuair atá bia blasta cait ar fáil?
Ní dóigh liom é!

An cuimhin leat?

1. Cad a thug Mam le hithe dom
i lár na hoíche?

a.

b.

c.

d.

e.

f.

2. Cén hata a chaith Sibéal agus
í ina bleachtaire?

a.

b.

c.

d.

3. Cé atá ina chónaí san áiléar?

a.

b.

c.

d.

4. Cén cruth atá ar mo chuid bia?

a.

b.

c.

d.

e.

Is mise Máire Treasa.
Is é mo dhuine, Moncomble
a scríobhann síos na scéalta
ar fad, agus a chara Pillot a
tharraingíonn na léaráidí. Agus an
Máire Treasa eile, sa ghrianghraf
sin thíos? Cad a dhéanann sise?
Faic!

Hé, sin mo
LEABA-SA!

Tá cleas nó
dhó agam féin
freisin!

Poll a thochailt?
Éasca péasca! Caisleán –
sin i bhfad níos deacra!

Foilsithe den chéad uair ag Éditions Hatier, Páras, An Fhrainc, faoin teideal
Moi, Thérèse Miaou: Qui a piqué mes croquettes? © Hatier, 2010, Páras.
An leagan Gaeilge © 2012 Futa Fata
An dara cló © 2017 Futa Fata
Gach ceart ar cosaint.